Este libro pertenece a:

Gabi Fong

Un tesoro para los

seis

años

Un tesoro para los

seis
años

Una recopilación de historias,
cuentos y canciones

p

Ilustraciones: Rory Tyger (Advocate)

Diseño: Peter Lawson
Diseño de la serie: Zoom Design

Copyright © 2004 de la edición española: Parragon
Traducción del inglés: Anna Gasol i Trullols
para Equipo de Edición, S.L., Barcelona
Redacción y maquetación: Equipo de Edición, S.L., Barcelona

Impreso en China

Printed in China

ISBN 1-40543-430-9

Índice

El peine y la caracola
de Ronne Randall
12

El flautista de Hamelín
Adaptación de Gabriella Goldsack
20

Rimas de miedo
28

El dragón y el unicornio
de Ronne Randall
30

El gigante egoísta
de Oscar Wilde
Adaptación de Gabriella Goldsack
38

9

Una bebida para
el dragón Desaliñado
de Nicola Baxter
45

Los tres gatitos
52

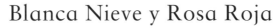

Blanca Nieve y Rosa Roja
de los Hermanos Grimm
Adaptación de Gabriella Goldsack
55

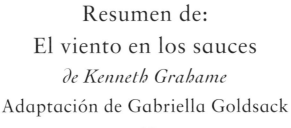

Resumen de:
El viento en los sauces
de Kenneth Grahame
Adaptación de Gabriella Goldsack
63

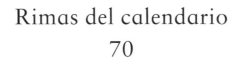

Rimas del calendario
70

El fantasma miedoso
de Gill Davies
72

Mi sombra
de Robert Louis Stevenson
82

La monstruosa Mabel
de Nicola Baxter
84

¿Cuántas millas hasta Babilonia?
y otras rimas para dormir
92

11

El peine y la caracola

Cada verano, Lucía y su familia pasaban las vacaciones en una casita junto al mar. A Lucía le encantaba la playa y todos los días, cuando bajaba la marea, buscaba tesoros en la arena.

Un día Lucía encontró una concha blanca y brillante con motitas rosa y perladas; otro día encontró una piedra ovalada y lisa que tenía los colores de una puesta sol; y otro día encontró una moneda antigua que tenía grabada la cara de un rey.

Lucía llevó todos sus tesoros a la casita y los guardó en una caja de zapatos que escondió bajo la cama.

12

Muchas tardes, los papás de Lucía y su hermano José iban a nadar al mar. Lucía les acompañaba pero sólo se mojaba los pies.

—Está demasiado fría —decía.

O bien:

—Puede que mañana. Hoy sólo miraré.

Y no es que no supiera nadar. A Lucía le encantaba nadar en la piscina de la escuela, pero el mar era profundo y oscuro, y estaba lleno de terribles secretos.

Una mañana, mientras Lucía paseaba por la orilla, vio algo que brillaba en la arena y se agachó para ver qué era.

¡Un peine! Era un peine plateado y brillante con una hilera de gemas verdes y púrpura situadas en la parte superior. Lucía le dio vueltas y más vueltas en la mano, admirando

aquel objeto tan bonito. Después corrió a casa a esconderlo en su caja de los tesoros.

A la mañana siguiente, cuando Lucía iba a la caza de nuevos tesoros, oyó un ruido extraño. Al escuchar con atención, se dio cuenta de que alguien estaba llorando.

Lucía miró a su alrededor y vio a una niña que se movía lentamente en el agua. Su larga melena rubia y resplande-

ciente flotaba detrás de ella. La niña lloraba como si su corazón fuera a partirse en pedazos.

—Hola —le dijo Lucía en voz baja—. Me llamo Lucía. ¿Qué te pasa?

—Me llamo Meriel —contestó la niña— y he perdido mi peine. Perteneció a mi abuela y es muy, muy valioso. Creo que ayer se me cayó por aquí, y ahora no puedo encontrarlo por ninguna parte.

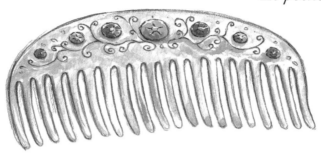

Lucía notó que su cara enrojecía y la barriga le hacía cosquillas.

—¿Se trata de un peine plateado con gemas verdes y púrpura en la parte de arriba? —preguntó.

—¡Sí! —dijo Meriel—. ¡Así es! ¿Lo has visto?

—Sí —respondió Lucía en voz baja. Sentía que las lágrimas asomaban a sus ojos—. Lo encontré. Si vienes a mi casa, te lo daré.

—No puedo ir contigo —dijo Meriel.

—¿Por qué no? —preguntó Lucía.

—Mira —dijo Meriel mientras sacaba del agua una espléndida cola plateada con tonos verdes y púrpura que resplandecía al sol.

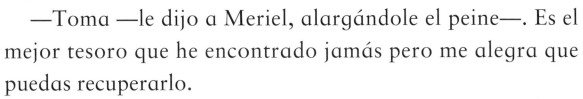

—¡Ohhhh! —exclamó Lucía con los ojos abiertos como platos por la sorpresa.

Entonces, dio media vuelta y corrió hacia la casa. Cinco minutos más tarde regresó con su caja de los tesoros.

—Toma —le dijo a Meriel, alargándole el peine—. Es el mejor tesoro que he encontrado jamás pero me alegra que puedas recuperarlo.

—¡Gracias! —dijo Meriel—. ¡Muchas gracias! —y mientras deslizaba el peine entre su pelo dorado, miró a Lucía.

—No puedo ir a tu casa, pero... ¿te gustaría visitar la mía? —preguntó.

Lucía miró el mar, profundo y oscuro. Después dirigió su mirada a Meriel.

—Creo que no —dijo negando con la cabeza—. Pero te lo agradezco.

—¡Por favor! —insistió Meriel, tendiéndole la mano—. Es muy bonita y te prometo que cuidaré de ti. Por favor, ven conmigo, aunque sea sólo un ratito.

Lucía introdujo los dedos de un pie en el agua. Después, el pie entero. Con cuidado, Meriel tomó su mano y la condujo hacia abajo, abajo, hacia el fondo del mar.

¡Qué visión para los ojos de Lucía! ¡No estaba oscuro en absoluto! El agua estaba repleta de luces trémulas y colores brillantes. Las estrellas de mar doradas y plateadas centelleaban en el lecho marino y los caballitos de mar saltaban a

su alrededor. Las conchas de las almejas y las ostras mostraban reflejos rosa y blancos. Los pequeños peces de vivos colores se movían con rapidez hacia uno y otro lado, y los cangrejos y las langostas saludaban chasqueando con sus pinzas.

—Éstos son mis amigos —dijo Meriel—. Y ahora también los tuyos.

Lucía y Meriel nadaron entre cascadas de delicadas algas hasta que llegaron a una cueva de corales.

—Aquí es donde vivo —dijo Meriel—. Espera, voy a buscar una cosa para ti.

Se deslizó al interior de la cueva y salió con una caracola que tenía forma de trompeta. Brillaba tenuemente y mostraba un pequeño agujero en la parte superior. Meriel le ató una cinta de alga y la anudó alrededor del cuello de Lucía.

—Es un regalo de mi parte… y del mar —dijo—. Ahora el mar formará parte de ti y tú formarás parte de él. Lo mismo que yo.

—Gracias —susurró Lucía. Y Meriel tomó de la mano a Lucía y nadaron juntas hacia la superficie. Cuando llegaron al lugar donde se habían conocido, Meriel dijo:

—Ahora debo despedirme; no te olvidaré nunca. Gracias por recoger mi peine y guardarlo en un lugar seguro.

—Gracias por la caracola —dijo Lucía—. La llevaré siempre conmigo, para acordarme de ti.

Aquella tarde, cuando mamá, papá y José fueron a nadar, Lucía les acompañó. Su caracola brillaba y ella se reía mientras saltaba entre las agitadas olas.

Y al mirar hacia el horizonte, a Lucía le pareció ver un destello de pelo dorado brillando a la luz del sol.

El flautista de Hamelín

Hamelín era una ciudad pequeña y hermosa, llena de estrechas calles adoquinadas y casas de madera. Sus habitantes vivían bien aunque no eran completamente felices. No lo eran porque su ciudad estaba repleta de ratas.

Miles y miles de ratas infestaban las calles y penetraban en las casas. Vaciaban las despensas, hurgaban en la basura, roían puertas y paredes, asustaban a los niños e incluso atacaban a los gatos de la ciudad. Estaban en todas partes, ¡hasta en las camas y en los baños! Había que encontrar una solución.

Después de probarlo todo, desde venenos y pócimas hasta trampas y gatos cazadores de ratas, los habitantes de la ciudad empezaban a desesperarse. Una tarde, se reunieron y se dirigieron a la casa del alcalde.

—Se acabó —gritó la multitud—. Las ratas se comen nuestras provisiones y hacen enfermar a nuestros hijos. Tienen que desaparecer o actuaremos por nuestra cuenta.

—Buena gente —sonrió el alcalde—, permaneced tranquilos, no descansaré hasta que nuestra ciudad se vea libre de esta plaga de ratas. Esta misma tarde promulgaré un edicto ofreciendo 100 monedas de oro a quien pueda librar a esta ciudad de las ratas. No nos supondrá un gasto importante.

Así pues, el alcalde hizo publicar el edicto. Durante los días siguientes, personas de todo tipo llegaron a Hamelín para intentar librarla de las ratas. Eran magos y comerciantes, soldados y científicos. Pero uno tras otro, abandonaban y volvían a sus casas.

21

Entonces, cuando el alcalde ya empezaba a perder la esperanza, un forastero llamó a la puerta del Ayuntamiento. Un hombre de apariencia extraña, que vestía una capa de retazos de colores y un sombrero puntiagudo apareció frente al alcalde. En la mano, llevaba una larga flauta.

—¿De qué trabajas? —preguntó el alcalde, frunciendo el ceño ante el hombre y su flauta—. No es un buen momento. La ciudad está demasiado ocupada con las ratas para preocuparse por la música.

—¡Ajá! Justamente soy el hombre que buscáis —rió el forastero—. Puedo libraros de todas las ratas antes del anochecer.

El alcalde pensaba para sus adentros que el forastero era un hombre extraño, pero dijo:

—Realmente pareces la persona apropiada. Tan pronto como las ratas hayan desaparecido te entregaré 100 monedas de oro. Por cierto, ¿quién eres?

—Soy el Flautista —respondió el forastero y se alejó.

El Flautista se dirigió a la calle mayor, se llevó la flauta a los labios y empezó a tocar una melodía encantada. Apenas habían sonado las primeras notas se oyó un ruido sordo y apareció un enjambre de ratas. Una tras otra, las ratas corrían tras el misterioso flautista que pasaba por las estrechas calles, tocando la música mágica.

Las ratas salían de las casas, los agujeros, las alcantarillas, los establos, los talleres y las acequias y seguían al forastero hasta que llegó a un riachuelo de rápida corriente.

Entonces, mientras el Flautista permanecía en pie, tocando junto a

23

la orilla, todas las ratas, una tras otra, se precipitaron al agua y se ahogaron.

Los habitantes de Hamelín no cabían en sí de gozo. Las campanas de las iglesias no paraban de tocar y los habitantes organizaron rápidamente una fiesta en la calle para celebrarlo.

Mientras la ciudad entera bailaba en la fiesta, el Flautista se presentó ante el alcalde.

—¿Qué quieres? —preguntó el alcalde, frunciendo el ceño.

—Mis 100 monedas de oro, por favor —dijo el Flautista alargando la mano.

Pero el alcalde se rió.

—¿Quieres 100 monedas de oro por engañar a unas cuantas ratas estúpidas con una flauta? Cualquiera puede hacerlo. Además, las ratas se han ahogado.

Ya no puedes hacer que vuelvan. Verás, té daré 50 monedas de oro. ¿No os parece justo?

—¡Sí, sí! —gritaron los habitantes de la ciudad que habían olvidado con rapidez cuán infelices habían sido con las ratas—. Cincuenta monedas de oro es más de lo que merece. Miradlo, ¡si parece un pordiosero!

—Yo he cumplido mi parte del trato —dijo el Flautista—. Ahora quiero lo que me corresponde. Si no queréis dármelo, me veré obligado a tocar una canción que lamentaréis mientras viváis.

—Sigue así y no recibirás ni una sola moneda —gritó el alcalde. Y todos en la ciudad estuvieron de acuerdo en que el forastero no debía recibir nada.

Sin mediar más palabras, el Flautista se dirigió a la salida de la ciudad. Allí cogió de nuevo su flauta y empezó a tocar su melodía encantada. Los adultos permanecieron hechizados mientras los niños de la ciudad dejaban lo que estaban haciendo y marchaban tras el

Flautista. Riendo, los niños y las niñas subieron y bajaron por las calles, tal como habían hecho las ratas.

El alcalde y los habitantes de la ciudad miraban impotentes cómo el Flautista se dirigía hacia el riachuelo donde se habían ahogado las ratas. Dejaron escapar un suspiro de alivio cuando lo vieron cruzar el puente hacia el otro lado de

la ciudad y dirigirse colina arriba hacia una gran montaña. Los niños lo seguían.

—No pueden escalar esta montaña —dijo el alcalde—. Tendrá que traerlos de vuelta.

Sin embargo, el alcalde estaba equivocado. Cuando el Flautista llegó al pie de la montaña, tocó unas notas especiales y apareció una gran abertura en la ladera de la colina.

El Flautista entró en su interior y los niños lo siguieron. Entonces la abertura se cerró y lo único que oyeron fue un sollozo lejano. Eran las lágrimas de uno de los pequeños que se había quedado rezagado porque caminaba muy despacio.

El niño contó a los habitantes de la ciudad que el Flautista les había prometido llevarlos a un reino maravilloso de risas y juegos, donde podrían vivir felices para siempre. El alcalde y los ciudadanos no sabían si creer la historia, pero nunca más volvieron a ver a los niños.

Desde aquel día, las risas infantiles dejaron de oírse en Hamelín. ¡Cuánto deseaban ahora haber cumplido el trato con el Flautista!

27

En un bosque oscuro

En un bosque oscuro,

había una casa oscura;

y en la casa oscura,

había una habitación oscura;

y en la habitación oscura,

había un armario oscuro;

y en el armario oscuro,

había un estante oscuro;

y en el estante oscuro,

había una caja oscura;

y en la caja oscura había

¡UN FANTASMA!

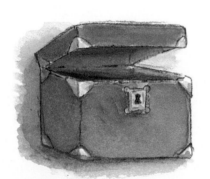

Tres pequeños fantasmas

Tres pequeños fantasmas,
sentados en sus vallas,
comían tostadas untadas
con sus manos manchadas
ensuciando sus sábanas.
¡Cuántas risotadas
en esta cena de fantasmas!

29

El dragón y el unicornio

Allá arriba, en las montañas cubiertas de niebla, vivía el último dragón de la Tierra. Hace muchos, muchos años, tenía multitud de amigos y familiares, pero con el tiempo todos habían desaparecido. Ahora estaba solo.

El dragón estaba cansado de vivir solo y decidió que había llegado el momento de volar montaña abajo en busca de compañía. Extendió sus poderosas alas y voló a través de las nubes y la niebla, abajo...,

abajo...

...y más abajo... hasta que llegó a un bosque verde y espeso.

El dragón plegó sus alas y se fue a explorar. Todo estaba silencioso entre los altos árboles repletos de hojas hasta que, de pronto, oyó un murmullo cercano. Acto seguido, entre las sombras, vislumbró algo blanco y plateado que resplandecía. Al cabo de un momento, una criatura de apariencia amable con un largo cuerno en la cabeza se le acercó.

—Hola —dijo el dragón—, ¿quién eres?

—Soy un unicornio —dijo la criatura—. Y tú debes de ser un dragón. Mi abuelo me contaba historias de dragones.

El dragón estaba triste.

—Todos los dragones han desaparecido. Soy el único que queda —dijo.

—Yo también soy el último de mi especie —dijo el unicornio—. El abuelo me contó que cuando los humanos dejaron de creer en seres como nosotros, dejaron de vernos, incluso a

31

pesar de tenernos ante sus narices. Cuando la gente dejó de creer en nosotros, desaparecimos.

—Si realmente sucedió como cuentas —dijo el dragón—, entonces tú y yo no tardaremos en desaparecer.

—Sí —afirmó el unicornio—, a menos que...

—...a menos que encontremos a alguien que crea en nosotros y nos pueda ver —acabó el dragón.

—¿A qué esperamos? —preguntó el unicornio— ¡Mejor que empecemos a buscar!

Así pues, los dos nuevos amigos salieron juntos del bosque y tomaron un camino largo y tortuoso. Después de mucho rato, llegaron a una ciudad bulliciosa, llena de gente. Había personas por todas partes, pero nadie vio al dragón ni al unicornio. Ni siquiera cuando tropezaban con ellos; la gente sólo murmuraba y seguía su camino.

—No creo que puedan vernos —dijo el dragón.

—No —concedió el unicornio—. ¡Pero debemos seguir!

En las afueras de la ciudad vieron un gran castillo con torres muy altas. Sobre ellas unas banderas y estandartes de vivos colores volaban mecidos por la brisa.

—Recuerdo que el abuelo me contaba historias sobre las princesas que vivían en los castillos —dijo el unicornio entusiasmado—. Solían ir a los bosques en busca de unicornios.

—¡Sí! —dijo el dragón—. Yo también recuerdo haber oído hablar de princesas y de dragones que las encerraban en torres. Entonces, llegaban unos valientes caballeros que luchaban con los dragones. ¡Al parecer eran tiempos fascinantes!

—Seguro que dentro del castillo hay alguien que cree en nosotros —dijo el unicornio—. Entremos.

En el interior del gran recibidor del castillo vieron más banderas y estandartes. ¡Cuál no sería su alegría al ver que una de las banderas de la verja tenía dibujadas sus figuras!

—¡Éste parece ser el lugar correcto! —exclamó el dragón.

Entraron en la sala de banquetes donde vieron a hombres

y mujeres sentados alrededor de una larga mesa comiendo, bebiendo y riéndose. Entre ellos estaba sentada una joven

muy hermosa. El sonido de su risa era como el de un riachuelo cristalino al chocar contra las piedras.

—Estoy seguro de que es una princesa —susurró el unicornio—. Me acercaré para que pueda verme.

Aunque el unicornio se situó junto a ella, la bonita muchacha no lo vio. Simplemente, siguió riendo y hablando con el joven que tenía a su lado. El unicornio frotó el hocico contra su hombro y la joven se volvió, pero sólo dijo:

—¡Vaya! Qué raro; me ha parecido que alguien me tocaba el hombro... —pero no vio al unicornio.

El dragón, por su parte, tampoco estaba teniendo mejor suerte en el otro extremo de la mesa. Bailaba alrededor de un hombre apuesto y alto que daba la impresión de ser un valiente caballero... pero éste no le hacía ningún caso. Desesperado, el dragón arrojó una bocanada de su terrible aliento sobre la mesa.

—Parece que hace calor, ¿no? —dijo el hombre, aflojándose el cuello de la malla.

—Sí, es cierto —admitió la mujer que estaba junto a él—. Pediré que apaguen el fuego.

Y llamó a un sirviente que se encontraba cerca de la puerta. Pero nadie vio al dragón.

El unicornio se le acercó trotando.

—No sirve de nada—dijo con tristeza—. No pueden vernos porque no creen en nosotros.

Con una gran tristeza en sus corazones, los dos amigos abandonaron el castillo.

—Me imagino que desapareceremos pronto —dijo el unicornio—, de la misma manera que lo hicieron nuestros amigos y familiares.

—Sí —suspiró el dragón—. Al menos, hasta que esto suceda, podremos estar juntos.

Lentamente, ambos se dirigieron hacia el espeso bosque.

De pronto, junto a una casita situada cerca del castillo, el dragón y el unicornio oyeron voces y se pararon a escuchar.

—¡Socorro! ¡Socorro, señor caballero! —gritaba alguien—. ¡Salvadnos a mí y a este pequeño unicornio!

—¡No temáis, noble señora! —replicó otra voz—. ¡Voy a matar al terrible dragón!

El dragón y el unicornio cruzaron sus miradas, sin atreverse a creer lo que oían. Despacio y sin hacer ruido, siguieron el sonido de las voces hasta un jardín que había detrás de la casita. Allí vieron a una niña y a un niño que jugaban con un caballo, una espada y un gran escudo de madera. Conteniendo la respiración, el dragón y el unicornio se acercaron.

—¡Mira, Sergio! —exclamó la niña con gran sorpresa—. ¡Un unicornio de los de verdad!

—¡Sara, también hay un dragón de verdad! —gritó Sergio entusiasmado—. ¡Siempre había deseado ver a uno y ahora mi deseo se hace realidad!

Entonces, los niños abandonaron sus juguetes y corrieron hacia ellos.

—¡Sois reales! ¡Sois reales! —chillaban llenos de alegría— ¿Os quedaréis a jugar con nosotros? ¿Os quedaréis para siempre?

El dragón y el unicornio no cabían en sí de alegría. Por fin habían encontrado a dos personas que creían en ellos. Cuando el unicornio galopaba por el jardín con Sara montada sobre su lomo y el dragón se levantaba sobre las patas traseras para que Sergio pudiera atacarle, se dieron cuenta de que éste era su lugar. Mientras los niños estuvieran allí, ellos también se quedarían.

El gigante egoísta

Había una vez un bonito jardín que era propiedad de un gigante. Éste se había marchado lejos hacía muchos años y la naturaleza había cuidado del jardín, que estaba cubierto de un mullido césped verde y repleto de hermosas flores; sus perales se veían por encima de la valla.

En primavera, éstos se llenaban de delicadas hojas, y en otoño estaban cargados de frutos dorados. Los pájaros se posaban en los árboles y trinaban dulcemente sin cesar.

LOS INTRUSOS
SERÁN
CASTIGADOS

Todos los días, al salir de la escuela, los niños jugaban en el jardín del gigante; trepaban a los árboles y corrían por el césped. El jardín del gigante era un lugar muy divertido. Pero un día de invierno, el gigante regresó de sus viajes.

—¿Qué estáis haciendo en mi jardín? —vociferó a los niños que huyeron despavoridos.

—¡Vaya desfachatez! —gruñó el gigante—. Mira que entrar en mi jardín sin que hayan sido invitados. A partir de ahora, seré yo el único que jugará en él.

Entonces construyó una valla alrededor del jardín y encima colocó un cartel que decía: LOS INTRUSOS SERÁN CASTIGADOS

Los niños no tenían dónde jugar pero al gigante no le importaba, ¡qué gigante más egoísta!

Entonces llegó la primavera. Los árboles se llenaron de hojas, las flores se abrieron y los pájaros cantaron. El jardín del gigante, sin embargo, permanecía sumido en el invierno. Ningún pájaro lo había visitado desde que los niños fueron expulsados de allí y ahora los árboles se negaban a dar fruto; incluso las flores se negaban a despertar de su sueño invernal.

La Nieve y el Hielo se sentían satisfechos:

—Podemos vivir aquí todo el año —decían.

La Nieve cubrió el césped con su espeso manto blanco y el Hielo pintó los árboles de plata. Entonces invitaron a sus amigos, el Viento del Norte y el Granizo, a quedarse con ellos.

El Viento del Norte corría por el jardín y destrozaba la casa del gigante, arrancando los ladrillos de la chimenea y las tejas del tejado.

El Granizo aporreaba la casa del gigante sin cesar, todos los días. ¡Cómo deseaba el miserable gigante que desaparecieran de una vez!

Aquel año la primavera no asomó la nariz por el jardín del gigante, ni tampoco lo hicieron el verano ni el otoño, que consideraban que aquella criatura no era merecedora de su presencia pues era demasiado egoísta.

Una mañana, el gigante estaba arropado en la cama cuando oyó una hermosa melodía. Le costó darse cuenta de que era el trino de los pájaros. Hacía mucho tiempo que no lo oía. Poco después, el Granizo cesó, el Viento amainó y un aroma delicioso de flores se coló por la ventana.

—¡Yupiii! —exclamó el gigante egoísta—. Creo que por fin ha llegado la primavera —y se acercó de puntillas a la ventana para mirar.

41

El espectáculo que sus ojos pudieron contemplar en el jardín era fantástico. Los niños habían entrado por un agujero de la pared y estaban sentados en las ramas de los árboles. Éstos estaban tan contentos de ver a sus viejos amigos que habían florecido de pronto.

Los pájaros cantaban alegres y las flores habían asomado la cabeza para ver qué era aquel jaleo. El jardín lucía precioso otra vez.

Sólo en uno de los rincones permanecía el invierno. Bajo un árbol había un niño pequeño. Lloraba porque no era lo suficientemente alto como para subirse a las ramas. La Nieve y el Hielo todavía cubrían el árbol mientras el Viento del Norte y el Granizo lo azotaban. El gigante, al observar al niño que lloraba, sintió cómo su corazón empezaba a derretirse.

—He sido muy egoísta —pensó—. Ahora comprendo por qué la pri-

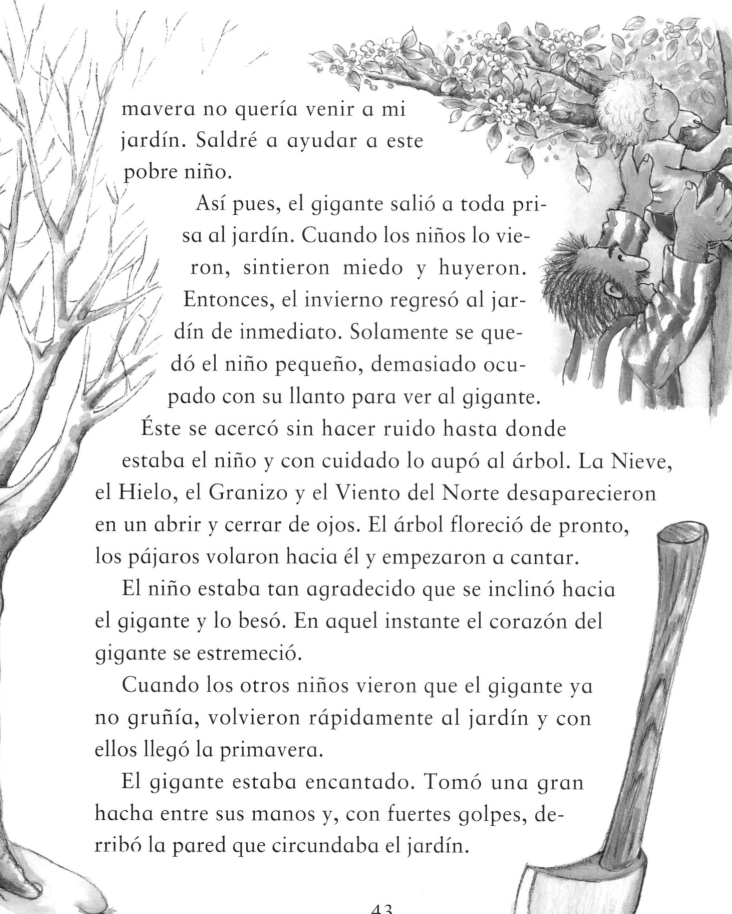

mavera no quería venir a mi jardín. Saldré a ayudar a este pobre niño.

Así pues, el gigante salió a toda prisa al jardín. Cuando los niños lo vieron, sintieron miedo y huyeron. Entonces, el invierno regresó al jardín de inmediato. Solamente se quedó el niño pequeño, demasiado ocupado con su llanto para ver al gigante.

Éste se acercó sin hacer ruido hasta donde estaba el niño y con cuidado lo aupó al árbol. La Nieve, el Hielo, el Granizo y el Viento del Norte desaparecieron en un abrir y cerrar de ojos. El árbol floreció de pronto, los pájaros volaron hacia él y empezaron a cantar.

El niño estaba tan agradecido que se inclinó hacia el gigante y lo besó. En aquel instante el corazón del gigante se estremeció.

Cuando los otros niños vieron que el gigante ya no gruñía, volvieron rápidamente al jardín y con ellos llegó la primavera.

El gigante estaba encantado. Tomó una gran hacha entre sus manos y, con fuertes golpes, derribó la pared que circundaba el jardín.

—Ahora el jardín es vuestro —dijo a los niños—. Podéis jugar en él cuando queráis. Ahora me doy cuenta de que ser egoísta sólo produce infelicidad.

Cuando los habitantes del pueblo pasaron por allí al volver del trabajo, se sorprendieron al ver a los niños jugando en el jardín más hermoso que habían contemplado jamás. Todavía les sorprendió más ver al gigante jugando con ellos. Todos se alegraron al comprobar que el gigante había dejado atrás sus malvadas costumbres.

Una bebida para el dragón Desaliñado

En un día de mucho, mucho calor, lo único que desea un dragón adulto es arrastrarse a su cueva, oscura y bien fresquita, y echar una laaaaaaaarga siesta. ¡Genial!

Pero los dragones pequeños son más bien como tú o como yo, y no les gusta dormir después de la comida. Prefieren sssssssilbar por los senderos de la montaña, saltarrrrr entre las rocas y

deslizarse pendiente abajo.

45

Un día, después de silbar, saltar y deslizarse entre las rocas bajo el sol ardiente, el dragón Desaliñado voló hasta la ladera de la montaña. Lo que más necesitaba en aquel momento era una bebida bien fresquita.

Valle abajo, resplandeciendo a la luz del sol, había un profundo lago de montaña. Bajo la superficie, el agua era oscura y fría. Un trago de esa agua sería delicioso.

Desaliñado suspiró. Recordaba lo que una y otra vez le ordenaba su madre:

—Nunca —solía decirle, con aspecto serio y severo— bebas otra cosa que no sea zumo de enebro. Y bébelo con paja. Es la única bebida sana para los dragones.

Pero ahora estaba muy lejos de la cueva y del zumo de enebro.

Desaliñado se deslizó por un sendero tortuoso, acercándose cada vez más al agua fría y azul. Mientras tanto observó a unos pajarillos que rozaron la superficie

del agua, sumergiendo sus picos para beber. Si los pajarillos bebían agua, seguro que también sería sana para él.

Desaliñado se acercó a la orilla del lago. Sumergió una pata en el agua y ¡ooooh! ¡estaba deliciosa! Y su pata seguía sana y salva.

—¡Perdona! —dijo una voz suave.

Un cervatillo había trotado hasta donde se hallaba Desaliñado y empezó a beber agua del lago.

Al ver que los pajarillos y los delicados ciervos podían beber agua, Desaliñado tomó una decisión. No encontraba razón alguna para no beber aquel agua tan apetecible.

El travieso dragón ahuecó sus patas y se llevó un poco de agua a la boca. La mayor parte se escurrió entre sus garras, pero tragó unas pocas gotas, sabrosas y relucientes. ¡Estaban taaaaan ricas!

No sucedió nada terrible. Pero le costaría siglos beber de esta manera. Desaliñado decidió arriesgarse. Se inclinó hacia delante y sumergió el hocico en el lago. Y a medida que el agua clara y fría entraba en su boca, pasó algo terrible.

¡Pffff!

¡Las llamas de Desaliñado se apagaron! Como sabes, todos los dragones exhalan fuego; están tan acostumbrados a ello que no se dan cuenta. Pero cuando cruzan el bosque van con cuidado, y además ¡los dragones no pueden tener cortinas en sus cuevas!

¡Pffff!

Desaliñado respiró hondo. Pensaba que sus llamas se reavivarían, pero eso no sucedió. Lo intentó tosiendo, roncando y moviendo la cabeza. Pero no servía de nada. Mientras corría de vuelta a casa, empezó a sentir miedo ¿Qué diría su madre?

Pues le dijo muchas cosas. Algunas de las palabras más amables que pronunció fueron "cabeza de chorlito", "mete-patas" y "desastre de dragón".

Desaliñado esperó a que terminara.

—¿Y no podemos hacer nada? —le preguntó con un hilo de voz.

La madre de Desaliñado suspiró:

—Es una tarea dura y peligrosa. Y te está bien empleado —dijo—. Tendremos que ir al volcán.

El viaje hasta el volcán era largo y pesado. Y un viaje se hace mucho más largo cuando tu madre no para de refunfuñar. Aunque hay cosas peores que refunfuñar. Para empezar, una montaña rugiendo que escupe piedras y fuego es bastante peor.

Desaliñado tenía mucho miedo del volcán.

—Deja de quejarte, Desaliñado —dijo su madre—. Lo que tenemos que hacer es sobrevolar el volcán rápidamente, y al pasar por encima del gran agujero del centro tienes que aspirar profundamente. Esto servirá para encender tu fuego de nuevo.

Desaliñado nunca había estado tan asustado. Pensaba que a lo mejor podría vivir sin su fuego. ¡Pero no! Un dragón debe escupir fuego porque si no, no es más que un lagarto enorme y patoso. Desaliñado tragó saliva con fuerza y echó a volar.

Mientras aleteaba sobre el volcán, sin despegarse del lado de su madre, Desaliñado no se atrevía a mirar abajo.

—¡Aspira profundamente! ¡ahora! —gritó su madre.

Desaliñado aspiró… y sintió como si su cuerpo ardiera.

50

Los dos dragones aterrizaron en el valle, sudando y respirando con fuerza. La madre de Desaliñado observaba preocupada a su hijo. No había nada que temer. El pequeño dragón volvía a ser el de siempre. De su hocico salían de manera natural pequeñas lenguas de fuego anaranjado.

—Espero que esta vez hayas aprendido la lección, Desaliñado —dijo su madre—. Ahora, volvamos a casa a tomar un poco de zumo de enebro.

—Sí, mamá —replicó Desaliñado.

Pero mientras trotaban por el valle, el pequeño dragón atontolinado no paraba de observar el agua brillante de un riachuelo que corría a su lado. Por fortuna, los dragones adultos a veces tienen poderes especiales:

—Ni lo sueñes, Desaliñado —le dijo su madre muy seriamente.

Los tres gatitos

Los tres gatitos
perdieron sus guantes
y decían llorosos:
—Oh, mamá querida,
mucho nos tememos
que no los tenemos.

—¿Qué? ¿Los habéis perdido,
gatitos traviesos?
Pues no os daré bizcocho.
—Miau, miau, miau.
—No, no os daré bizcocho.

Los tres gatitos,
hallaron sus guantes,
y decían llorosos:
—Oh, mamá querida,
mira, mira,
aquí están, ya los tenemos.

—Poneos los guantes,
¡traviesos gatitos!,
y os daré bizcocho.
Arrú, arrú, arrú,
comamos juntos bizcocho.

Los tres gatitos,
con los guantes puestos,
comieron bizcocho;
—Oh, mamá querida,
mucho nos tememos
que muy manchados los tenemos.

—¿Qué? ¿Están manchados,
gatitos malvados?
Ellos suspiraban:
—Miau, miau, miau.
Ellos suspiraban.

Los tres gatitos
lavaron sus guantes
y los colgaron a secar;
—Oh, mamá querida,
¿acaso no te has fijado,
que los guantes hemos lavado?

—¿Qué? ¡Los habéis lavado!
Que buenos gatitos.
Pero cuidado, huele a ratón.
—Miau, miau, miau.
Aquí huele a ratón.

Blanca Nieve y Rosa Roja

Había una vez una pobre viuda que vivía en una casita en medio del bosque. En la puerta de su casa crecían dos bonitos rosales, uno con flores blancas y el otro con flores rojas. La viuda tenía dos hijas que eran tan hermosas como las flores de los rosales. Se llamaban Blanca Nieve y Rosa Roja.

No había mejores hijas que ellas. Eran trabajadoras, alegres y obedientes. Todo el mundo las quería. Durante el día, las dos niñas ayudaban a su madre, y por la noche, se sentaban frente a ella, junto a la chimenea, para escuchar lo que les leía en voz alta.

Una noche de invierno, alguien golpeó la puerta.

—Ve a abrir la puerta, Blanca Nieve —dijo su madre—. Podría ser alguien que busca cobijo.

Blanca Nieve abrió la puerta y profirió un grito. Ante ella apareció un enorme oso que le dijo:

—No te asustes; no quiero hacerte daño. Sólo estoy buscando un poco de calor.

—Pobrecito —exclamó la madre de la muchacha—. Ven y siéntate junto al fuego. Hijas, quitadle la nieve del pelaje. No temáis, no tiene intención de atacarnos.

Poco después, las niñas habían perdido el miedo y jugaron con el oso hasta que llegó la hora de acostarse. A partir de entonces, el oso iba cada noche a visitarlas y se quedaba hasta la mañana siguiente. Las niñas y su madre lo querían como a un miembro más de la familia.

Al llegar la primavera, el oso les dijo a las niñas:

—Debo volver al bosque para proteger

mi tesoro de los malvados enanos. Durante el invierno, los enanos se quedan bajo tierra, pero ahora que el tiempo es más cálido salen a ver qué pueden robar.

Blanca Nieve y Rosa Roja se despidieron del oso con lágrimas en los ojos y lo vieron alejarse a toda prisa.

Poco después, las niñas estaban recogiendo leña en el bosque cuando tropezaron con un enano que estaba dando

saltos junto a un tronco caído. El extremo de su barba había quedado atrapado en una hendidura del árbol y, por mucho que lo intentaba, no encontraba la manera de desengancharlo.

—¡Venid a ayudarme, niñas estúpidas! —gritaba el enojado enano.

—¿Qué ha pasado? —preguntó Rosa Roja.

—No es asunto tuyo, ¡bobalicona entro-
metida! —exclamó el antipático enano—.
¡Sacadme de aquí en seguida!

Las niñas lo intentaron, pero no
consiguieron desenganchar la barba
del enano. Cuando ya lo habían proba-
do todo, Blanca Nieve sacó sus tijeras
y... ¡zass!, cortó el extremo de la barba.

Cuando el enano se vio libre, cargó un saco
de oro y gritó a las niñas:

—¡Horribles bestias! ¡A quién se le ocurre cortar un trozo
de mi bonita barba! —y, sin ni siquiera dar las gracias, se
precipitó al interior del bosque.

Unos días después, las niñas estaban pescando cuando
vieron algo parecido a un enorme saltamontes inclinado

58

junto a la orilla del río. Volvía a ser el enano. Se había sentado junto al río y su barba había caído al agua, donde un pez la sujetaba con la boca. El pez estaba empeñado en arrastrar al enano al río. Tenían que actuar con rapidez, así que Blanca Nieve volvió a sacar sus tijeras y... ¡zass!, cortó otro trozo de la barba del enano.

Éste estaba furioso:

—¡Criaturas malvadas! —gruñó—. ¡Estropear así el buen aspecto de un enano!

Entonces tomó una bolsa de diamantes de entre los juncos y desapareció.

Al día siguiente, las niñas iban camino al mercado cuando oyeron un grito. Corrieron hacia el lugar de donde venía la voz y vieron a un águila gigante

que sujetaba al enano entre sus garras. Las niñas lo asieron por las piernas y tiraron y tiraron hasta que... ¡plaf!, el enano cayó al suelo.

Una vez hubo recobrado el aliento, el enano chilló con todas sus fuerzas:

—¡Inútiles desvergonzadas! ¿Cómo os atrevéis a tirar de mí de esta manera?

Entonces, tomó una bolsa de perlas y desapareció por un agujero que había bajo una roca.

Por entonces, las niñas ya se habían acostumbrado a los malos modales del enano y siguieron su camino hacia el mercado sin pensar más en él. Sin embargo, cuando regresaban a su casa, Blanca Nieve y Rosa Roja volvieron a toparse con el enano. Se hallaba al lado de una montaña de tesoros preciosos justo en el sitio de la roca donde había desaparecido anteriormente.

—¿Qué estáis mirando, gnomos repugnantes? —gritó el enano, y empezó a guardar sus tesoros.

Entonces, de repente, con un gran rrrrrugido, apareció ante el enano un enorme oso pardo.

—¡Perdóname! —suplicó el enano—. Llévate todos tus tesoros pero no me devores, pues sólo soy un pequeño saco de huesos. Cómete a estas niñas rollizas en mi lugar.

El oso no le hizo ningún caso. Agarró al enano, lo arrojó al agujero de debajo de la roca y selló rápidamente la entrada con otra roca. Las niñas estaban a punto de huir corriendo, cuando el oso les dijo:

—Blanca Nieve, Rosa Roja, pero si soy yo. No temáis.

Era su buen amigo, el oso.

De repente, al darse la vuelta para saludarlo, las niñas vieron cómo caía la piel del oso y aparecía ante ellas un apuesto príncipe.

61

—Soy el príncipe Pedro —explicó—. Este malvado enano robó un día todos mis tesoros y me convirtió en oso. Ahora he podido capturarlo y de esta manera he logrado romper el hechizo.

Poco después, Blanca Nieve se casó con el príncipe Pedro y Rosa Roja se casó con el hermano del príncipe. Todos vivieron en un magnífico palacio con la madre de las muchachas, quien se llevó con ella los dos rosales y los plantó en los jardines de palacio. Cada año florecían en ellos las rosas blancas y rojas más hermosas del mundo.

El viento en los sauces

Topo había dedicado toda la mañana a pintar y a limpiar a fondo su casa. Su suave pelo estaba manchado de pintura y le dolían los brazos. Desde el exterior de su hogar subterráneo podía sentir la llamada de la primavera. De pronto, tiró la brocha y exclamó:

—¡Basta! ¡Ya está bien de limpiar!

Salió de la casa y escarbó a través del túnel que conducía al mundo exterior. Al final... ¡plof!, Topo salió a la luz del día.

—Esto realmente es mu-cho mejor que pintar la

casa —se dijo, mientras se disponía cruzar un bonito e inmenso prado.

Topo fue caminando hasta llegar a un río. Nunca había visto uno y quedó fascinado por el murmullo y el brillo del agua. Topo se sentó junto al borde y observó la orilla opuesta hasta que atisbó un oscuro agujero.

—¡Ésta sería una bonita casa! —pensó.

Todavía observaba el agujero cuando algo centelleó y le hizo un guiño. Se trataba de un ojo; un ojo que pertenecía a un pequeño rostro marrón. Era Rata de Agua.

—¡Hola, Topo! —gritó Rata de Agua.

—¡Hola, Rata! —exclamó Topo.

—¿Quieres venir? —preguntó Rata.

—¿Cómo puedo llegar? —replicó Topo.

Rata no añadió nada más; subió a un pequeño bote y remó hasta la otra orilla.

Pronto estuvo junto al fascinado Topo que, gracias a la pata que le tendió su nuevo amigo, subió a la embarcación.

—Nunca había estado en un bote —dijo Topo.

—¿Qué? —exclamó Rata—. Pues, ¿qué has estado haciendo todo este tiempo?

—¿Es tan fantástico como parece? —preguntó Topo.

—Es la única cosa que merece la pena —contestó Rata de Agua—. Créeme, amigo mío, no hay nada, absolutamente nada, mejor que jugar con los botes. De eso, estoy convencido. ¿Qué te parece si navegamos río abajo?

Topo estaba entusiasmado.

—¡De acuerdo! —exclamó.

Así pues, Rata fue a buscar una gran cesta de comida y se pusieron en camino.

—¿Qué hay en la cesta? —preguntó Topo.

—Hay pollo frío —empezó Rata—, embutido-jamón-buey-pepinillos-en-vinagre-ensalada-bizcocho...

—¡Basta, basta! —rió Topo—. Es demasiado.

Rata remó río abajo, mientras Topo observaba atentamente todos los paisajes y sonidos nuevos.

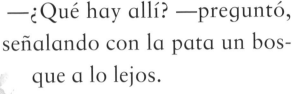

—¿Qué hay allí? —preguntó, señalando con la pata un bosque a lo lejos.

—Ah, es el Bosque Salvaje. Los habitantes del río lo evitamos siempre que podemos.

—¿Por qué? —preguntó Topo, nervioso.

—Bueno, algunos conejos que habitan allí no son malos. Y Tejón, el bueno de Tejón, vive en el interior del bosque. Nadie sería capaz de meterse con él.

—¿Quién quiere pelearse con él? —preguntó Topo.

—Pues los de siempre... las comadrejas, los armiños

y los zorros. No se puede uno fiar de ellos.

—¿Qué hay más allá del Bosque Salvaje? —preguntó Topo.

—El Ancho Mundo —respondió Rata—. Yo nunca me acerco a él y tú tampoco debes hacerlo si eres sensato. Mira, podemos comer aquí.

Rata amarró el bote a la orilla y ayudó a Topo a saltar a tierra. Al cabo de poco empezaron a devorar la comida. Antes de acabarla, Topo había conocido ya a dos buenos amigos de Rata: en primer lugar, Nutria, que decidió incluir a Topo en su círculo de amistades antes de marcharse; y después, Tejón, que, antes de partir apresuradamente, gruñó:

—¡Hasta pronto, hermanos!

Sapo también estaba en el río. Estaba probando un flamante bote nuevo, y la verdad es que lo hacía bastante mal.

—Es otro de sus antojos —explicó Rata—. Sea lo que sea, pronto se cansa y se encapricha de otra cosa.

Pronto llegó la hora de marcharse. Mientras Rata remaba suavemente de vuelta a casa, Topo se sentía cada vez más aburrido.

—Rata, por favor, ¿me dejas remar un rato?

—Primero tienes que aprender un poquito —sonrió Rata.

Topo tan sólo pudo estar quieto durante un minuto; después se inclinó hacia delante y de repente arrebató los remos a Rata.

—¡Vamos a volcar! —gritó Rata, y mientras Topo se balanceaba de un lado a otro con los remos... ¡chof!, ya podéis imaginar lo que pasó.

Topo se hundió, salió chapoteando a la superficie y volvió a hundirse. Entonces, una pata vigorosa lo agarró y lo aupó hacia tierra. Era Rata. Entre grandes risas, secó a Topo y luego se

68

sumergió de nuevo en el agua para poder salvar el bote y la cesta de la comida.

Cuando Topo volvió a sentarse en el bote, se sintió avergonzado y pidió disculpas a su nuevo amigo.

—No te preocupes —dijo Rata, animándole—. ¿Sabes? Podrías venir a mi casa y quedarte conmigo una temporada. Te enseñaré a remar y a nadar. Aprenderás en seguida y lo pasaremos muy bien.

Topo rompió a llorar de alegría. Rata hizo como si no se diera cuenta.

Cuando llegaron, Rata encendió un buen fuego y contó historias del río hasta el anochecer. Después de una buena cena, Topo se sentía feliz, y puesto que estaba exhausto, se fue directo a la cama.

Los días siguientes fueron parecidos al primero. Topo aprendió a nadar y a remar. Jugaba junto al río a diario. Por las noches, antes de conciliar el sueño, se sentía arropado por los sonidos del río, que susurraba bajo la ventana, y del viento, que murmuraba en los sauces.

Los meses del año

Enero trae la nieve
y pies y manos congela.

Febrero trae la lluvia
y de nuevo el río se deshiela.

Marzo arrecia vientos violentos
y el narciso se alborota por dentro.

Abril trae la dulce primavera
y la margarita florece la primera.

Mayo muestra rebaños de ovejas hermosas
y sus crías saltan ociosas.

Junio trae lilas, rosas y tulipanes
y las manos de los niños llena de flores.

Julio pasa con duchas frías
y puedes comer fresas todos los días.

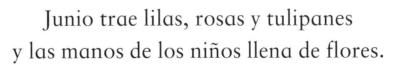

70

Agosto muestra las gavillas hechas
pues es el mes de las cosechas.

Septiembre trae fruta
y la temporada de caza se inaugura.

Octubre viene con el faisán
y las castañas maduras están.

Noviembre acerca el viento
y con él las hojas van cayendo.

Diciembre trae la fría ventisca,
la Navidad ya está a la vista.

Treinta días tiene noviembre

Treinta días tiene noviembre,
con abril, junio y septiembre.
De veintiocho sólo hay uno.
Los demás de treinta y uno.

El fantasma miedoso

Los fantasmas no me dan miedo —dijo Godfrey.

—Por supuesto —contestó su madre—. Los fantasmas no temen a los fantasmas. ¡No seas bobo, Godfrey!

—¡No me asustan! —repitió Godfrey, mirando por encima del hombro—. Pero si yo no fuera un fantasma, puede que me asustara al toparme con alguno.

—Bueno, pero resulta que eres un fantasma —dijo su madre—. Vamos, apresúrate, que no llegaremos nunca.

—Corramos —dijo Godfrey, y echó a correr arrastrando a su madre con tanta fuerza, que provocó que parte de la compra se cayera.

—No me dan miedo los fantasmas —repitió Godfrey mientras pasaban frente al molino encantado—. Si les

tuviera miedo debería asustarme de mí mismo, y esto sería una estupidez, ¿no es así?

—¡Una gran estupidez! —dijo su madre al entrar en el bosque oscuro y espeso, donde los árboles crecían tan juntos que Godfrey tenía que brillar intensamente para ver por dónde iban.

—Soy un fantasma muy, pero que muy valiente —afirmó Godfrey.

—Por supuesto —dijo su madre.

Godfrey silbó, dio un puntapié a una piedra del camino y

siguieron adentrándose en el
oscuro bosque.

Los árboles empezaron a susurrar y a murmurar con
el viento:

—¿Quiiiééén nos está tirando piedras?
¿Quiiiééén? ¿Quiiiiiééééééén?

—¡Uaaaaaaaah! —gritó Godfrey asustado al ver que los árboles se inclinaban.

Cuando las ramas puntiagudas lo ara-
ñaron, Godfrey huyó corriendo.

—¿Adónde vas? —lo llamó su madre—.
¡Espérame!

Ahora Godfrey ya no pretendía ser valiente. Estaba asustado; asustado de los árboles... y del viento... y de los fantasmas.
Incluso estaba asustado de sí mismo.

Sin pararse, Godfrey huyó a toda prisa del bosque y se dirigió al Castillo de los Espíritus.

—¡Uuuuh, uuuuuh, uuuuuuhhhh! —soplaba el viento, mientras atrapaba a Godfrey y lo hacía volar.

—¡Uaaaaaaaah! —gritó Godfrey al aterrizar en la azotea del Castillo de los Espíritus.

—¡Uaaaaaaaah! —volvió a gritar al ver que allí había otro fantasma.

Sin embargo, éste no era un fantasma blanco y con sábanas, como papá y mamá, sino un caballero con una armadura brillante.

—¡Alto! ¿Quién va? —preguntó el caballero.

—¡Soy yo! —gritó Godfrey despavorido mientras el caballero se acercaba a él rechinando.

—¡Alto! ¿Quién va? —rugió el caballero de nuevo, sin ver a Godfrey, y avanzó directamente a través de él hacia el cielo perdiéndose entre las nubes.

—¡Uuuuh, uuuuuuhhhh! —sopló el viento de nuevo lanzando a Godfrey al foso del castillo. Aterrizó con un chapoteo y la corriente lo arrastró hasta los calabozos.

—¡Uaaaaaaaah! —chilló Godfrey, porque allí, en el profundo y oscuro calabozo, había otro fantasma.

No era un fantasma blanco y con sábanas, como papá y mamá; y tampoco era un caballero con una armadura brillante. Era un viejo flacucho, vestido con unas ropas rojas hechas jirones. Su cuerpo estaba atado con cadenas.

—¿Quién eres? —chilló con voz temblorosa y sollozante.

—Soy Godfrey —contestó el pequeño fantasma—. Aunque esté temblando, no tengo miedo. Lo que pasa es que tengo frío.

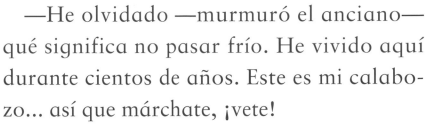

—He olvidado —murmuró el anciano— qué significa no pasar frío. He vivido aquí durante cientos de años. Este es mi calabozo... así que márchate, ¡vete!

El viejo hizo rechinar sus cadenas y, de repente, se hizo grande, muy grande, hasta llenar la oscura mazmorra por completo.

—¡Uaaaaaaaah! —gritó Godfrey —. ¡Socorro!

—¡Uuuuh, uuuuuuhhhh! —volvió a soplar el viento. Esta vez aspiró a Godfrey hacia fuera por el ojo de la cerradura, y lo arrastró rodando como si fuera una bola blanca hasta depositarlo en la habitación encantada.

—¡Uaaaaaaaah! —gritó Godfrey aterrorizado al chocar contra la cama con dosel. De pie, ante él, había otro fantasma.

No era un fantasma blanco, como papá y mamá; tampoco era un caballero con una armadura brillante, ni un viejo encadenado.

Era una hermosa dama con un vestido púrpura y dorado que sujetaba una vela.

—Buenas noches —saludó la Dama Púrpura. Hizo una reverencia y se quitó la cabeza.

—¡Uaaaaaaaah! —gritó Godfrey, mirando la cabeza situada con esmero bajo el brazo, mientras le sonreía.

Entonces, la Dama murmuró:

—No tengas miedo, Godfrey. Sólo soy una fantasma, como tú.

—¡No tengo miedo! —se defendió Godfrey —. Pero me gustaría que volvieras a colocar la cabeza en su sitio. No me gusta mirarla de reojo.

—De todas maneras, ya sabes que mirar de reojo es de mala educación —dijo la Dama Púrpura—. Un fantasma educado como tú tendría que saberlo.

La Dama suspiró y lentamente volvió a colocar la cabeza sobre sus hombros.

—Gracias —dijo Godfrey.

En aquel momento el viento se coló por la chimenea y se llevó a Godfrey envuelto en un remolino de humo.

—¡Uuuuh, uuuuuuuuhhhh! —soplaba el viento mientras escupía a Godfrey por la chimenea llevándoselo cielo arriba.

—¡Uaaaaaaaah! —gritó Godfrey al pasar por entre varias brujas que montaban sobre sus escobas voladoras.

Intentaba esquivarlas, pero las brujas se reían de él; chillaban y lo rodeaban con sus escobas.

—¡Uaaaaaaaah! —gritó Godfrey cuando una horrible bruja empezó a volar en círculos a su alrededor, chillando y tirando de él... hasta que el viento lo empujó hacia arriba.

—¿Adónde vamos? —preguntó Godfrey.

—Hacia la luna —gruñó el viento.

—¡No! —exclamó Godfrey —. Quiero irme a casa, ¡por favor!

Pero el viento lo empujaba cada vez más arriba.

—¡Basta! —gritó Godfrey —. ¡Llévame a casa! ¡Ahora!

—¡De acuerdo! —dijo el viento—. ¡Eres un aguafiestas!

Entonces, el viento soltó a Godfrey, que cayó hacia abajo, abajo, abajo. Dando tumbos, pasó junto a las estrellas y descendió hacia la colina que había en el linde del bosque. Cayó en el empinado camino forestal, donde su madre caminaba a toda prisa, y aterrizó dando un gran golpe en medio de la cesta de la compra de su madre.

—¡Aaggh! ¡Otra vez! ¡Otra vez me lo tiras todo! —gritó su madre.

Sin embargo, estaba tan contenta de ver a Godfrey que lo levantó del suelo y lo abrazó con ternura. A continuación, se marcharon a casa.

Ahora Godfrey se alegra de haber vuelto a la vida normal. Ha conocido a tantos fantasmas que ya no les tiene miedo. Todas las noches, dando un paseo, se acerca al Castillo de los Espíritus para jugar al escondite con sus nuevos amigos: el caballero de la armadura brillante, el viejo del calabozo y la Dama Púrpura.

Godfrey se ha acostumbrado a hacer lo mismo que ellos, es decir, dar alaridos y atravesar paredes, hacer rechinar cadenas y quitarse la cabeza. Sólo se asusta de vez en cuando, si alguien grita «¡Alto!» con demasiada fuerza.

—Ya no me asustan los fantasmas —se ríe el fantasma Godfrey—, ¡sólo las brujas!

81

Mi sombra

Tengo una sombra
que me sigue a donde voy,
si quieres saber por qué
pregúntale, yo no lo sé.
Es bien igualita a mí,
de la cabeza a los pies,
y da saltos frente a mí
¡cuando me voy a dormir!

Lo más divertido es
cuánto le gusta crecer:
no es como un niño normal,
al que le cuesta ser mayor.
Unas veces es tan alta
que parece una giganta,
y otras tan chiquitina
¡que ni siquiera se ve!

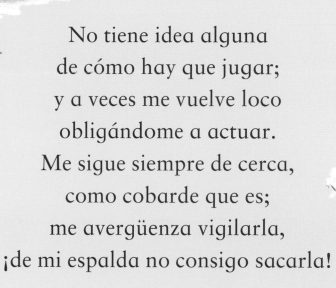

No tiene idea alguna
de cómo hay que jugar;
y a veces me vuelve loco
obligándome a actuar.
Me sigue siempre de cerca,
como cobarde que es;
me avergüenza vigilarla,
¡de mi espalda no consigo sacarla!

Un día, muy tempranito,
cuando el sol amanecía,
salí y vi brillar el rocío
en cada brizna de hierba;
mi perezosa sombra
como un lirón dormitaba,
arropadita en mi cama,
¡pues no quería salir de casa!

83

La monstruosa Mabel

Mabel quería ser cantante, pero tenía un gran problema. No era el simple hecho de ser un monstruo con cuatro brazos y tres cuernos; después de todo, vivía rodeada de monstruos y algunos tenían un aspecto mucho más raro que ella. El problema de verdad era que Mabel no podía cantar. Y cuando digo que no podía, quiero decir que no entonaba en absoluto... vamos, ¡ni una triste nota!

—Ya mejorarás — le decía su madre cuando Mabel cantaba y rompía los cristales de todas las ventanas de la casa.

—Se le pasará —decía su padre cuando la pequeña cantaba y, acto seguido, empezaba a llover a cántaros.

—Sí, por favor. Me gustaría encargar 200 cajas de tapones para los oídos —decía la abuela de Mabel por teléfono cuando su nieta todavía se empeñaba en cantar a la edad de doce años.

Un día Mabel leyó en una revista que cualquiera podía llegar a ser un cantante famoso si ponía suficiente empeño.

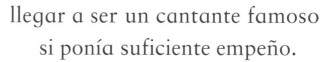

Así pues, Mabel lo intentó una vez, y otra, y otras tantas más.

Tapándose los oídos con las manos, sus amigos le suplicaban que parase. Su familia le pedía que, por favor, se dedicara a cualquier otra cosa. Pero Mabel estaba decidida a lograr su objetivo.

Cuando el señor Cabezón, famoso por haber lanzado a la fama a otras estrellas de la canción, llegó a la ciudad, Mabel no cabía en sí de alegría.

—Voy a practicar noche y día —exclamó—. Es mi gran oportunidad.

—¡Oh, no! —exclamaron sus amigos, con caras pálidas y enfermizas.

Lo cierto es que, como muchos monstruos son de color verde, es difícil darse cuenta de cuando están enfermos. Un síntoma seguro es cuando les salen granitos púrpura en la lengua.

—¡Oh, no! —exclamó la familia de Mabel.

Su madre contrató unas vacaciones en un lugar lejano, y por alguna extraña razón se olvidó de comprar billete para Mabel.

—¡Oh, no! —exclamaron los otros monstruos que vivían en la calle de Mabel. Todos se apresuraron a marcharse de vacaciones. Mabel no se dio cuenta de nada. No pensaba más que en una cosa: estuviera donde estuviese, abría la boca y cantaba. Lugares repletos de monstruos se vaciaban en unos segundos.

Ahora Mabel sabía que su voz no era común. ¿Era una buena señal? El señor Cabezón buscaba un nuevo talento, así que Mabel practicaba las mejores canciones de su repertorio. Estaba decidida a causar buena impresión al señor Cabezón.

Si éste hubiera sido un monstruo amable, seguramente le habrían prevenido acerca de Mabel. Pero el señor Cabezón,

el descubridor de estrellas, era la persona más horrible que os podáis imaginar. Era mezquino, cabezota y muy grosero. Y además apestaba porque le gustaba comer cabezas de pescado y dulces de chocolate, todo mezclado.

El gran día de Mabel llegó por fin. Como estaba muy nerviosa, sus brazos empezaron a temblar y su nariz no cesaba de moquear. Pero Mabel pensó que estaba más preparada que nunca. Entonces se dirigió a un teatro de las afueras de la ciudad. Cuando llegó su turno para cantar, subió al escenario y escudriñó las butacas que tenía delante. El señor Cabezón estaba sentado en la primera fila con algunos de sus ayudantes.

—¡Empieza ya de una vez! —le ordenó.

Y eso es lo que hizo Mabel. Un sonido horrible salió de su boca. ¿Podéis imaginar el ruido de una piara de cerditos berreando? Pues el sonido de Mabel era parecido.

El señor Cabezón estaba desconcertado.

—¡Basta! —chilló.

Pero Mabel ya se había puesto manos a la obra y empezó otra canción de inmediato. ¿Podéis imaginar el ruido que haría un elefante si se posara sobre un puerco espín? Además, tendríais que añadir también el grito de dolor del pobre puerco espín. La canción de Mabel sonaba más o menos así de mal.

El señor Cabezón había enrojecido y empezaba a temblar sin poder parar:

—¡Cállate! —rugió.

Mabel ni se enteró. Acababa de empezar su tercera canción.

El teatro se llenó con el ruido que haría un hipopótamo al chocar contra un escaparate de porcelana. Con un chillido del que Mabel se hubiera sentido orgullosa, el señor Cabezón abandonó el teatro a toda prisa dejando un pringoso reguero de babas tras de sí.

Sin embargo, entre las filas de asientos se oyó un aplauso. Un pequeño monstruo verde y amarillo corrió al escenario y

estrechó una a una las cuatro manos de Mabel.

—¡Fantástico! —exclamó—. ¡Excelente!

Aunque aquel monstruo no era un descubridor de estrellas, producía series de dibujos animados para la televisión. Y ahora buscaba a alguien que pudiera emitir aquellos sonidos que hacen que los dibujos sean tan divertidos.

—¿Puedes hacer estos sonidos? —le preguntó mostrándole una lista.

Mabel le echó un vistazo a la lista y leyó: «Una nave espacial aterrizando en un plato de mermelada»; «un jabalí devorando un plato de espagueti»; «un rinoceronte estornudando».

90

—¡Nada más fácil! —exclamó Mabel.

Así pues, cada vez que veáis unos dibujos animados, cerrad los ojos y escuchad los sonidos. Seguro que oís algunos de los mejores trabajos de Mabel. Pero no intentéis imitarla, ¿de acuerdo?

¿Cuántas millas hasta Babilonia?

¿Cuántas millas hasta Babilonia?
Sesenta más diez.
¿Puedo llegar con la luz de una vela?
Sí, y puedes volver también.
Si tus pies son ligeros y rápidos
puedes ir y volver con la luz de una vela.

A la cama, Tom

A la cama, Tom,
a la cama, Tom,
quieras o no, Tom,
a la cama, Tom.

La luna

La cara de la luna es como los redondos quesos;
ilumina a los glotones y a los traviesos;
y en la calle, en el campo y en el puerto,
hasta al pobre pajarito recién despierto.

Al lento caracol y al gato maullador,
al veloz ratón y al perro ladrador,
y al murciélago que yace en la cuna,
a todos les gusta el silencio de la luna.

Todas las cosas que pertenecen al día
se abrazan al sueño con gran alegría;
mientras flores y niños descansan
hasta que por la mañana el sol se levanta.